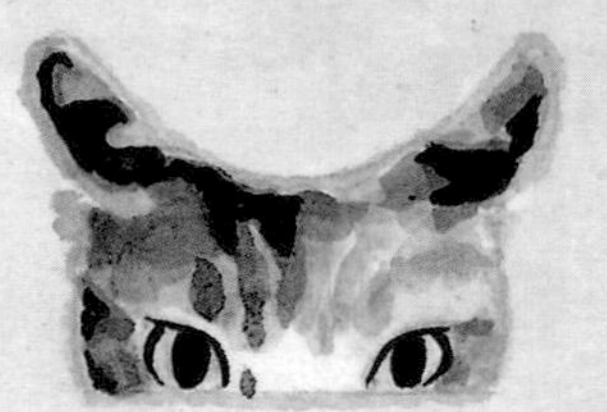

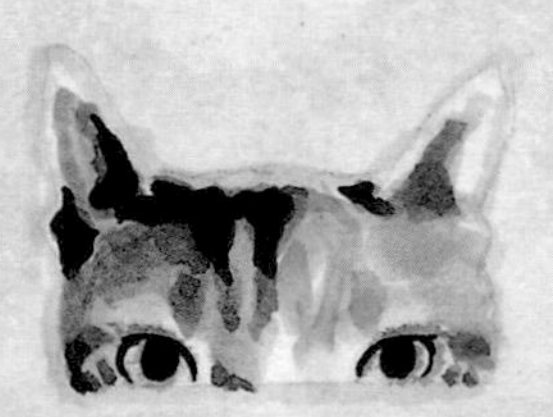

Kwon Yoon-duck

Mi gato siempre me imita

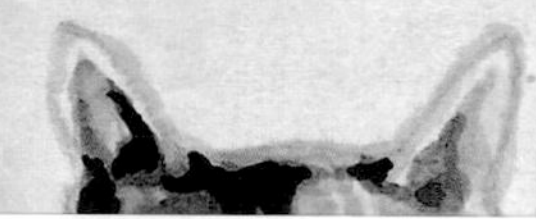

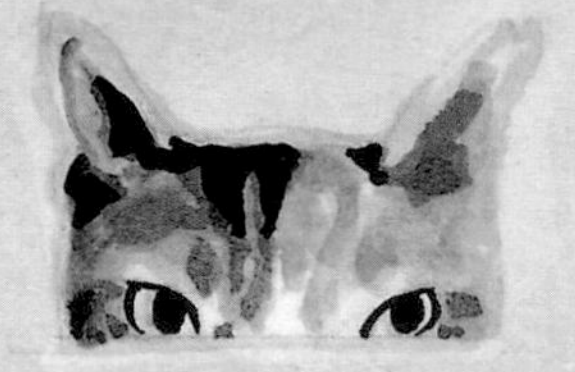

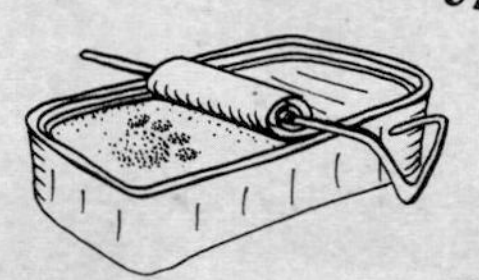

LATA de SAL

Mi gato me rehuye.
Aunque lo llame, no acude a mí.
Al intentar abrazarlo, se escabulle.
Y cuando estamos cara a cara,
cierra los ojos.

Si no le hago caso, se acerca a mi lado.
Si me marcho, me persigue y juguetea.
A cada cosa que hago, me imita.

Mi gato siempre me imita

Kwon Yoon-duck

LATA de SAL
Gatos

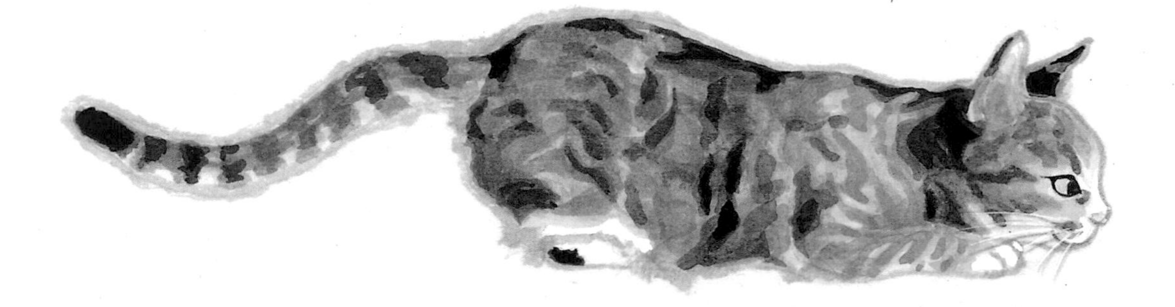

Mi gato siempre me imita. Cuando me escondo bajo el periódico...

Cuando me escondo detrás de la puerta...

Cuando me escondo entre el escritorio...

O incluso cuando me escondo dentro del armario. Me imita siempre.

Mi gato tiende la ropa si estoy tendiendo la ropa.

Siempre corre tras una mosca si yo corro tras una mosca.

Y al oler las flores, mi gato también las huele.

Cuando me paro a mirar un insecto, mi gato
siempre siempre siempre me imita.

Después de jugar, cuando nos aburrimos,
nos quedamos embobados con el exterior.

Mi gato es mi único amigo.
Su única amiga soy yo.

Por la tarde nos sentamos a oír llegar a mamá.
Tanto mi gato como yo escuchamos con atención el sonido de los pasos.

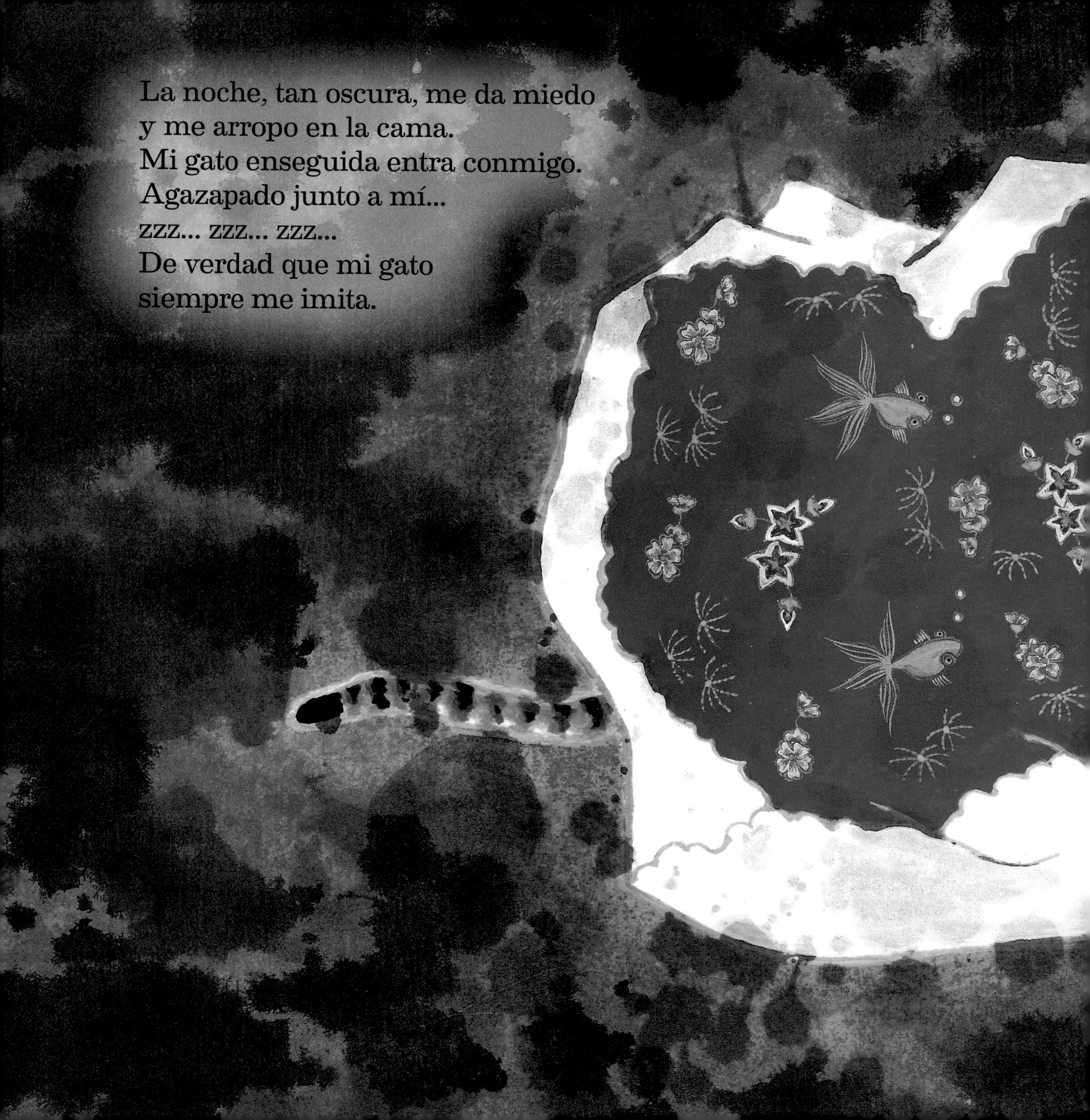

La noche, tan oscura, me da miedo
y me arropo en la cama.
Mi gato enseguida entra conmigo.
Agazapado junto a mí...
zzz... zzz... zzz...
De verdad que mi gato
siempre me imita.

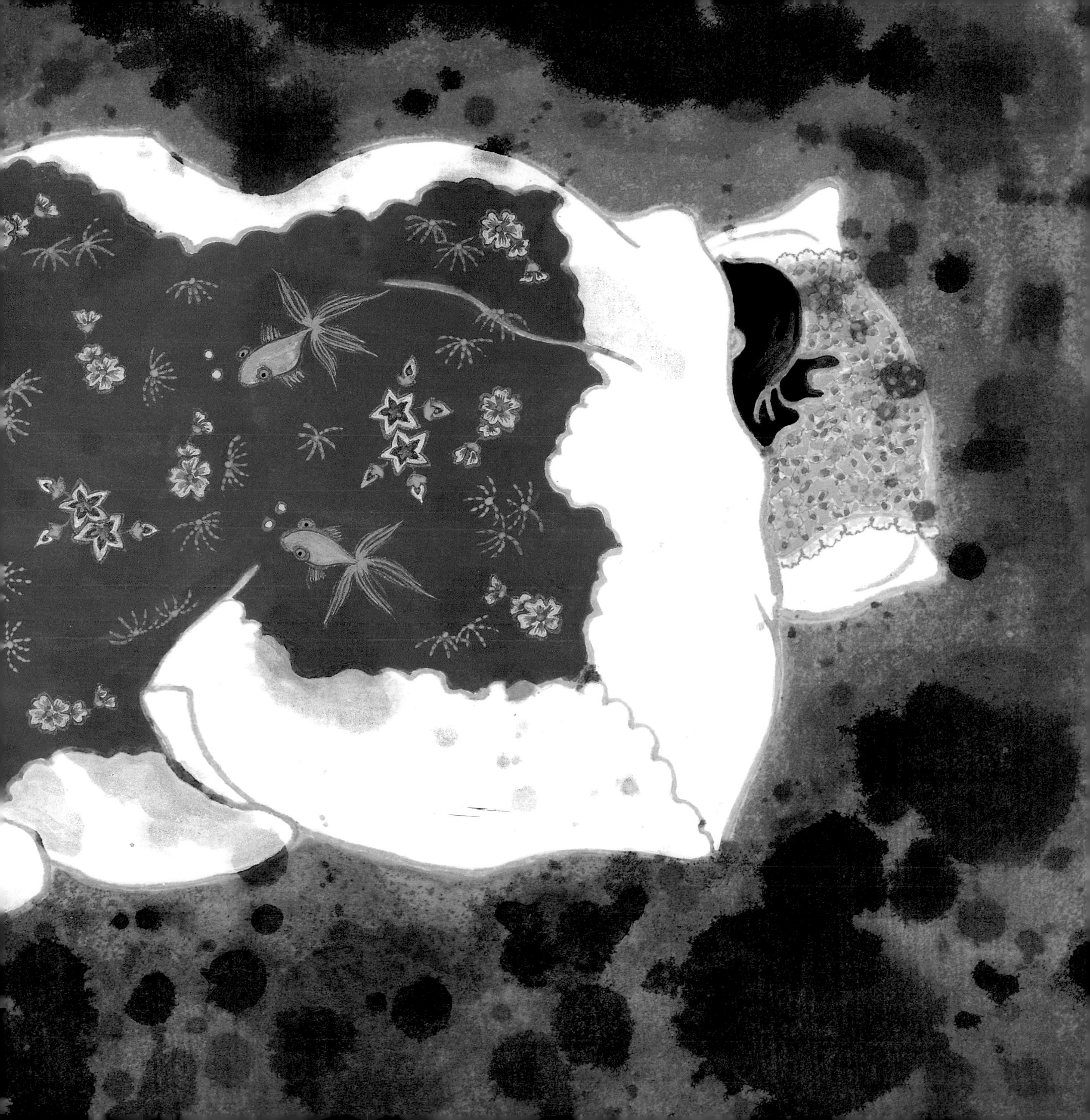

Sin embargo, a partir de hoy... seré yo quien imite a mi gato.

Contemplaré el paisaje
oscuro más allá de la
ventana, como mi gato.
Y sin que me entre
ningún miedo.

Treparé a sitios altos,
como mi gato, para mirar a lo lejos.
¡Qué diferente es todo desde aquí arriba!

Expandiré el cuerpo y
expandiré el corazón,
como mi gato. Hasta que
no sienta miedo de nada.

Y ahora, ¡salgamos afuera!

Título original: 고양이는 나만 따라 해
Publicado por acuerdo con Changbi Publishers, Inc.

www.latadesal.com
info@latadesal.com

Impresión: Abacus Gráfica
ISBN: 978-84-941784-1-2
Depósito legal: M-28101-2013
Impreso en España

Este libro está hecho con papel procedente de fuentes responsables.
En las páginas interiores se usó papel FSC de 170 g
y se encuadernó en cartoné al cromo plastificado brillo,
en papel FSC de 135 g sobre cartón de 2,5 mm.
El texto se escribió en Eames Century Modern.
Sus dimensiones son 23 × 23,3 cm.

Y nuestros gatos Chasis y Logan nos imitan a veces.
Nosotros, a ellos, casi siempre.

LATA
de
SAL

Gatos